Nannie Kuiper

& Yvonne Jagtenberg

Eskeline

 Leopold / Amsterdam

Daar loopt Eskeline,
verkleed als prinses.
Wat praat ze toch deftig.
Dat doet ze expres!
Haar neus in de lucht
en haar hoofd wat opzij:
'Ik ben hier de baas, hoor,
dus luister naar mij
en doe wat ik zeg,
allemaal, nu – meteen!
Ik wil als prinses
geen gezeur om me heen!'

Voor mijn kleindochter Eskeline

Lees ook:

Nannie Kuiper & Dagmar Stam
De eend op de pot (Gouden Griffel 1984)
Snuffel de knuffel
Vadertje en moedertje spelen

Yvonne Jagtenberg
Balotje en de beren
Balotje en het paard (Vlag en Wimpel 2006)
Balotje en de baby

www.yvonnejagtenberg.com
www.leopold.nl

Copyright © tekst Nannie Kuiper 2007
Copyright © tekeningen Yvonne Jagtenberg 2007
Omslagontwerp Marjo Starink
NUR 273 / ISBN 978 90 258 5087 6

Haar vader zegt: 'Hoogheid,
ik sta voor u klaar!'
Haar moeder zegt buigend:
'Vertelt u het maar!'

'Ik moet naar een feest
waar een prins op mij wacht.
Ik word dus heel graag
met de auto gebracht.'

'Natuurlijk,' zegt vader,
'ik ben uw chauffeur.'
En moeder zegt: 'Dame,
ik open de deur.'

Daar rijden ze al,
de prinses achterin.
Ze denkt met een lachje:
zo krijg ik mijn zin!

Een klas vol met clowntjes,
en tovenaars, tijgers,
piraten, prinsessen (een beetje gewoon)…

Ik ben veel belangrijker, denkt Eskeline,
de anderen hebben gelukkig geen kroon!

En Lucas, haar vriendje,
loopt rond als kabouter.
'Jij zou toch een prins zijn,
dat had je beloofd!'
Prinses Eskeline
begrijpt niks van Lucas.
'Wat stom zeg, zo'n baard,
en zo'n muts op je hoofd.'

'Een kroon is nog stommer,'
zegt Lucas beledigd.
'Geen ruzie,' roept juf,
'ik ben jarig vandaag!'

Dat wordt een groot feest
met 'hoera!' en trakteren:
'Wie lust er een ijsje?'
'Ja, ikke! Ja, graag!'

'Kabouter, je knoeit op je baard – geen gezicht!'
De mooiste prinses doet haar ogen stijf dicht.

En Lucas loopt weg. Bah, weer net iets voor mij!
Maar liever kabouter dan prins, denkt hij blij.

Prinses Eskeline,
weer thuis op haar kamer,
stopt zelfgemaakt geld
in haar zilveren tas.
Ze denkt met een lachje:
ik ben vanaf morgen
de mooiste en rijkste
prinses van de klas.

Haar dekbed, haar kussen
met kroontjes versierd,
haar klamboe wijdopen –
ook hier wordt een
heel deftig feestje gevierd.

'Slaap lekker, prinsesje!'
'Tot morgen, mijn schat!'
Ze krijgt van haar vader
en moeder een knuffel...
'Je hebt een fantastisch
verkleedfeest gehad!'

De volgende dag
roept haar vader:
'Waar blijf je?
Schiet op, Eskeline,
je komt veel te laat!'

Haar moeder zegt:
'Ben je nog steeds op je kamer?'

Ze ziet een prinses,
als de deur opengaat...

Ze hebben geen tijd meer
voor andere kleren.
Ze moeten naar school,
vlug – ze hebben zo'n haast!

De klas zit gewoon
alweer lekker te werken.
'Het feest is voorbij, hoor!'
zegt Lucas verbaasd.

Prinses Eskeline
zegt: 'Hier, moet je kijken,
een tas vol met euro's,
wel honderd keer tien!'
De andere kinderen
vragen nieuwsgierig:
'Wat heeft ze daar, Lucas?
Wat laat ze daar zien?'

'Wie heeft er nog iets in
de broodtrommel zitten:
een restje van dit,
of een restje van dat?'

Prinses Eskeline
betaalt graag in euro's:
'Ik heb echt nog nooit
zoiets lekkers gehad!'

De andere kinderen spelen wel mee,
maar Lucas loopt weg en zegt: 'Nee!'

Prinses Eskeline
roept Lucas terug.
'Jij wordt mijn lakei,
mijn bediende – kom vlug!
Jij wordt heel belangrijk,
de held van de klas:
jij zorgt voor het geld
in mijn zilveren tas.'

'De held van de klas?'
zegt Lucas. 'Ja, fijn!'

Dat wil ieder kind
elke dag toch wel zijn...

Het spel gaat weer door.
Eskeline koopt pennen
en potloden, viltstiften,
blaadjes papier...
Als Lucas betaalt,
pakt hij ook een paar spullen:
'Die pen en dat potlood,
bedankt – geef maar hier!'

'Nee Lucas, niet flauw doen,
jij bent mijn lakei!
Jij doet wat ik zeg–
geef die spullen aan mij!'

Dat had Eskeline
nu niet moeten zeggen.
Oh, Lucas rent razendsnel
weg met zijn buit.

'Kom hier!' roept ze bazig.
Maar dat heeft geen zin meer:
het spel van Prinses Eskeline is uit.

De anderen willen ook
echt niet meer meedoen.
Ze kijken haar stiekem
wat pesterig aan...

Prines Eskeline
wordt buitengesloten;
dat voelt ze aan alles –
ze blijft angstig staan!

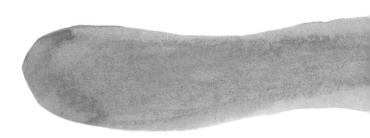

Toch zielig, denkt Lucas.
Hoe moet het nu verder?
Opeens zegt hij lachend:
'Ik heb een idee!
Prinses Eskeline
verkoopt al die spullen.
En jullie betalen in euro's, oké?'

Ze maken een winkel
voor vrolijke klanten:
'Meneer en mevrouw,
alsjeblieft, dankjewel!'
Ze oefenen even:
een praatje, een grapje,
alsof het heel echt is –
dat hoort bij het spel!

Als alles verkocht is,
denkt Lucas: gelukkig!
Prinses Eskeline
draagt lachend haar tas.

En juf zegt: 'Het is alweer
tijd, hoor! Tot morgen!
Maar eerst een applaus
voor de held van de klas.'

Ze klappen heel hard.

Eskeline denkt blij:
ja, Lucas blijft altijd
een vriendje van mij!